PROBLEM SOLVING

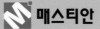 매스티안

팩토슐레 Math Lv. ③ 시리즈 소개

수 (NUMBERS)

[학습목표] 1부터 50까지의 수를 알 수 있습니다.

교재

\+

교구를 활용한 APP 학습

도형 (SHAPES)

[학습목표] 다양한 모양의 ○, △, □ 등을 알 수 있습니다.

교재

\+

교구를 활용한 APP 학습

연산 (OPERATIONS)

[학습목표] 받아올림이 없는 덧셈과 뺄셈을 할 수 있습니다.

교재

\+

교구를 활용한 APP 학습

측정 (MEASUREMENT)

[학습목표] 시계, 무게, 길이, 넓이 등을 알 수 있습니다.

교재

\+

교구를 활용한 APP 학습

규칙 (PATTERNS)

[학습목표] 다양한 규칙을 찾을 수 있습니다.

교재

\+

교구를 활용한 APP 학습

문제해결력 (PROBLEM SOLVING)

[학습목표] 다양한 유형의 문제를 해결할 수 있습니다.

교재

\+

교구를 활용한 APP 학습

팩토슐레 Math Lv. ③ 교재 소개

" 우리 아이 첫 수학도 창의력을 키우는 **FACTO**와 함께! "

팩토슐레는 처음 수학을 시작하는 유아를 위한 창의사고력 전문 program입니다.

팩토슐레는 만들기, 게임, 색칠하기, 붙임딱지 붙이기 등의 다양한 수학 활동을 하면서 스스로 수학 개념을 알 수 있도록 구성되어 있습니다.

수 (NUMBERS)	도형 (SHAPES)	연산 (OPERATIONS)
측정 (MEASUREMENT)	규칙 (PATTERNS)	문제해결력 (PROBLEM SOLVING)

※팩토슐레는 6권으로 구성되어 있으며, 각 권은 30가지의 재미있는 활동을 수록하고 있습니다.

누리과정

팩토슐레는 누리과정·초등수학과정을 연계하여, 수학의 5대 영역(수와 연산, 공간과 도형, 측정, 규칙, 문제해결력)을 균형있게 학습할 수 있도록 하였습니다.
특히 가장 중요한 수와 연산은 각 권으로 구성하여 깊이 있는 학습이 가능하도록 하였습니다.

STEAM PLAY MATH

팩토슐레는 4, 5, 6세 연령별로 학습할 수 있도록 설계한 놀이 수학입니다.
매일매일 놀이하듯 자르고, 붙이고, 색칠하며 재미있는 30가지의 활동을 통해 창의사고력을 기를 수 있습니다.

동화책풍의 친근한 그림

팩토슐레는 동화책풍의 그림들을 수록하여 아이들이 수학을 더욱 친근하게 느끼며 좋아할 수 있도록 하였습니다. 또한 한글을 최소화하고 학습 내용을 직관적으로 이해할 수 있도록 하였습니다.

팩토슐레 Math Lv. ③ 교구·App 소개

" 수학 교육 분야 증강현실(AR)과 사물인식(OR) 기술을 국내 최초 도입 "

교구를 활용한 App 학습 프로세스

① 거치대와 반사경 설치 → ② App 실행 → ③ 교구로 문제 해결

④ 사물인식 기술을 활용하여 교구 인식 → ⑤ 정답과 오답 체크

자기주도학습 　팩토슐레 App만의 장점

팩토슐레 App은 사물인식(OR) 기술을 사용하여 아이들의 학습 정보를 습득한 후, App에 프로그래밍된 학습도우미를 통하여 아이들이 문제 푸는 것을 힘들어하거나 틀릴 경우에는 힌트를 제공합니다.
이와 같은 방식의 스마트기기와의 상호작용은 학습의 효율을 높이고 자기주도학습 능력을 길러 줍니다.

완벽한 학습 설계 App 　다른 교육 App과의 차별점

팩토슐레 App은 수학 교육 목표에 맞게 완벽한 학습 설계가 되어 있습니다. 아이들은 게임 기반의 학습 App을 진행하면서 어려운 문제도 술술 풀 수 있습니다.

증강현실(AR) 기술 도입

팩토슐레 App은 아이들이 캐릭터와 사진도 찍고, 자신이 그린 그림으로 자기만의 쿠키도 만들면서 학습 몰입도를 높일 수 있습니다.

01 친구들이 공원에서 놀고 있어요. 자세히 보니 이상한 부분이 있네요! **이상한 부분 5군데를** 찾아 ○표 하고, 왜 이상한지 이야기해 보세요.

주어진 상황을 이해하고 그 안에서 일어날 수 있는 일과 일어날 수 없는 일을 구분하는 활동을 통해 논리력과 집중력을 기를 수 있습니다.

친구들이 알록달록 예쁜 물고기들을 보고 있어요. 물고기를 색깔에 따라, 모양에 따라 나누어 어항에 담아 보세요. 붙임딱지 ①

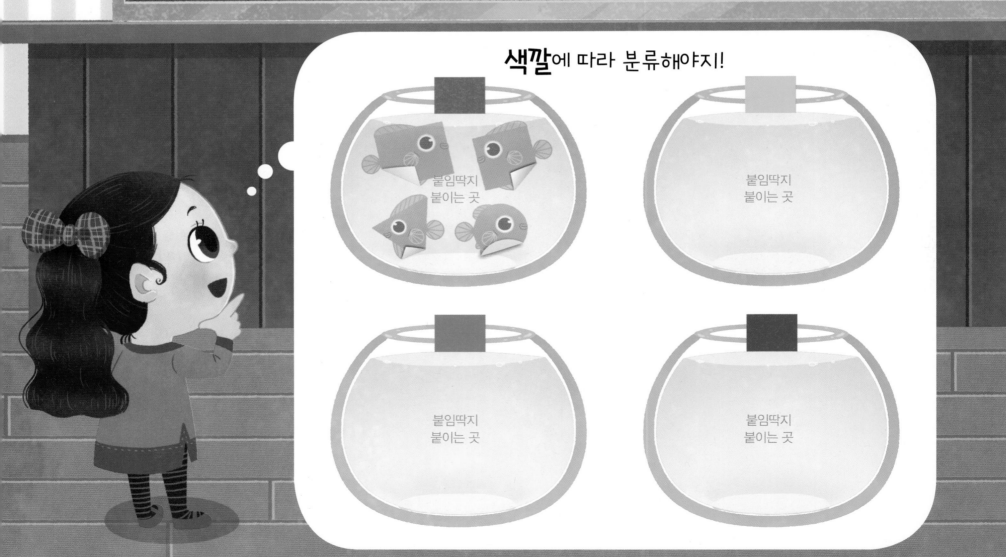

색깔에 따라 분류해야지!

붙임딱지
붙이는 곳

붙임딱지
붙이는 곳

붙임딱지
붙이는 곳

붙임딱지
붙이는 곳

모양에 따라 분류해야지!

붙임딱지
붙이는 곳

붙임딱지
붙이는 곳

붙임딱지
붙이는 곳

붙임딱지
붙이는 곳

마트에서 장을 보고 집에 가려고 해요. 어떤 자동차를 타고 집에 갈까요? 길을 따라 **자동차까지** 가는 길을 연결해 보세요.

도착

도착

친구들이 어제 한 일을 그림으로 그렸어요. 그림의 순서에 맞게 ◯ 안에 번호(1, 2, 3)를 쓰고, 어떤 일을 했는지 이야기해 보세요.

친구들이 사자와 곰에게 어떤 모양의 우리를 만들어 줄지 생각하고 있어요. 친구들이 생각하는 우리를 만들어 보세요. 활동지 ①

같은 모양을 만드는 활동을 통해 관찰력과 집중력을 기르고 공간 감각을 향상시킬 수 있습니다.

여우와 포도

1 배고픈 여우 한 마리가 길을 걷다가 울타리 건너 달콤한 포도 냄새가 나는 포도밭을 발견했어요.

2 울타리의 틈을 발견하고 포도밭으로 들어간 여우는 포도나무를 향해 뛰어갔어요.

3 여우는 그 자리에서 포도밭에 있는 맛있는 포도를 배가 터지도록 따 먹었어요.

4 배부르게 먹은 여우는 다시 나오려고 했지만 울타리 틈에 배가 끼어서 빠져나올 수 없었어요.

1

활동지 붙이는 곳

2

활동지 붙이는 곳

3

활동지 붙이는 곳

4

활동지 붙이는 곳

친구들이 수영장에서 즐겁게 놀고 있어요. 자세히 보니 이상한 부분이 있네요!
이상한 부분 5군데를 찾아 ○표 하고, 왜 이상한지 이야기해 보세요.

친구들이 공원에 놀러 왔어요. 공원 연못에는 물고기들이 많이 있네요. 물고기들을 잘 살펴보고 연못의 비어 있는 부분을 완성하세요. 활동지 ③

활동지 붙이는 곳	활동지 붙이는 곳	활동지 붙이는 곳
활동지 붙이는 곳		활동지 붙이는 곳
활동지 붙이는 곳	활동지 붙이는 곳	활동지 붙이는 곳

활동지
붙이는 곳

활동지
붙이는 곳

활동지
붙이는 곳

활동지
붙이는 곳

활동지
붙이는 곳

활동지
붙이는 곳

활동지
붙이는 곳

활동지
붙이는 곳

활동지
붙이는 곳

09 도깨비들이 신기한 요술 방망이를 가지고 있어요. 방망이는 색깔이나 다른 요술을 부릴 수 있어요. 그림을 잘 보고 빈 곳에 **알맞은 그림을** 붙여 보세요. 활동지 **3**

활동지 붙이는 곳

활동지 붙이는 곳

활동지 붙이는 곳

활동지 붙이는 곳

주어진 두 사물의 관계를 파악하여 결과를 유추해 내는 활동을 통해 추론 능력을 기를 수 있습니다.

앨리스가 정원에 있는 친구에게 가려고 해요. 어느 길로 가야 할까요? 길을 따라 **친구에게 가는 길을** 연결해 보세요.

출발

도착

엄마는
선생님!

갈림길에서 올바른 길을 선택하여 목적지까지 가는 길을 찾는 활동을 통해 스스로 오류를 수정하며 논리적으로 생각할 수 있게 됩니다.

11 친구들이 인형 가게에 왔어요. 외계인 인형들이 둘씩 짝을 지어 있네요. 짝꿍인 외계인 인형들은
어떤 점이 같은지 찾아보세요. 붙임딱지 ①

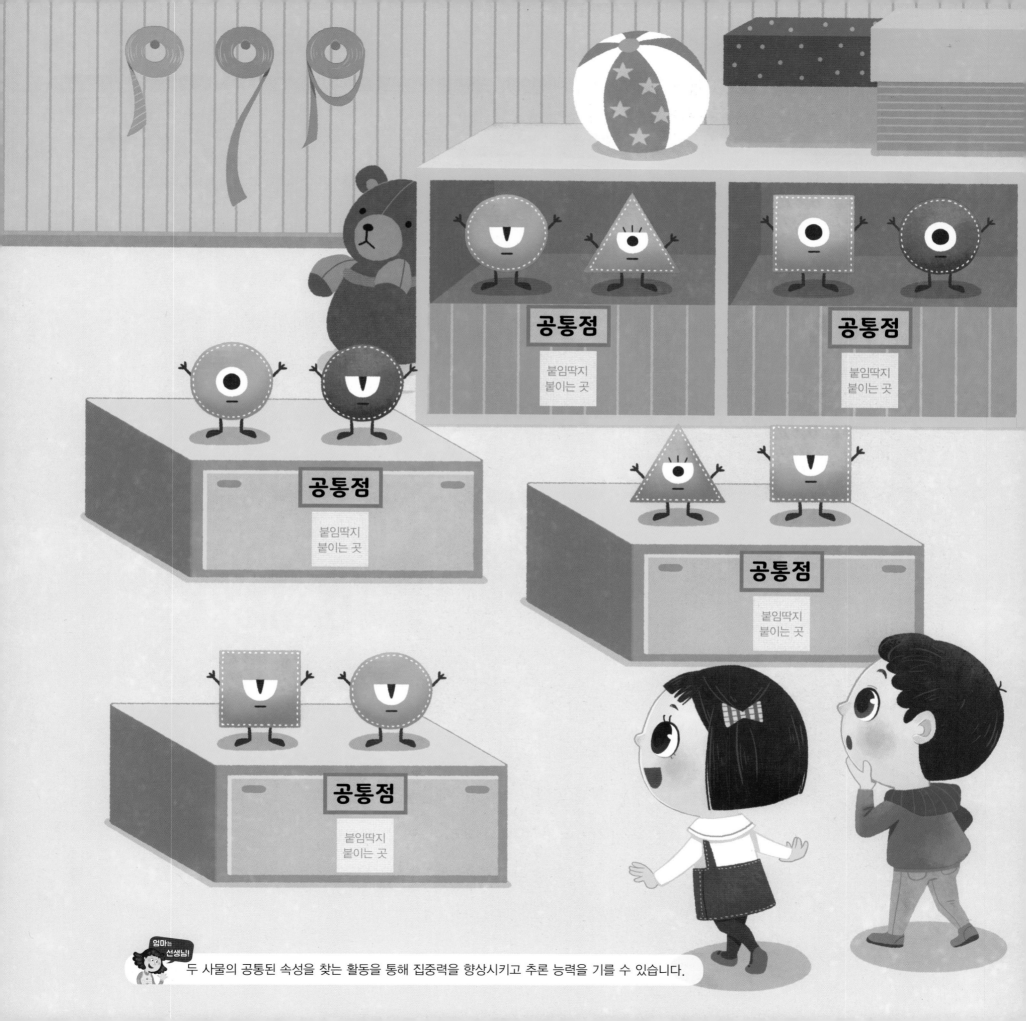

공통점

붙임딱지
붙이는 곳

공통점

붙임딱지
붙이는 곳

공통점

붙임딱지
붙이는 곳

공통점

붙임딱지
붙이는 곳

공통점

붙임딱지
붙이는 곳

엄마는
선생님! 두 사물의 공통된 속성을 찾는 활동을 통해 집중력을 향상시키고 추론 능력을 기를 수 있습니다.

현서는 사진 5장으로 재미있는 동물원 이야기를 만들었어요. 친구들도 사진 5장을 마음대로 놓아 재미있는 이야기를 만들어 보세요. 활동지 **2**

1 친구와 함께 동물원에 갔어요.

2 동물원에서 풍선도 받고 즐거운 시간을 보냈어요.

3 동물원을 구경하다가 호랑이 우리에 도착했어요.

4 나와 친구는 무서운 호랑이를 보고 깜짝 놀랐어요.

5 나는 너무 놀라서 울음을 터뜨렸어요.

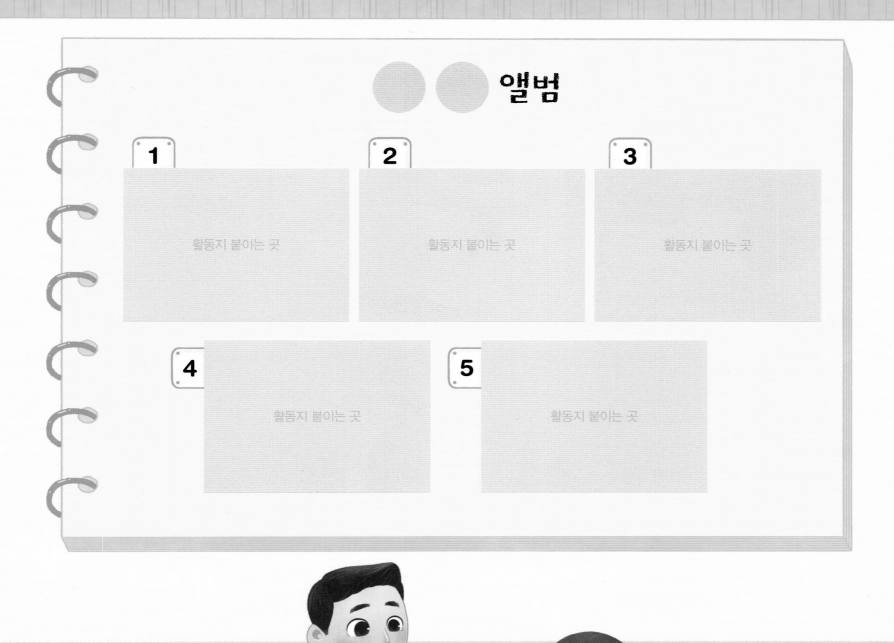

앨범

1	2	3
활동지 붙이는 곳	활동지 붙이는 곳	활동지 붙이는 곳

4	5
활동지 붙이는 곳	활동지 붙이는 곳

미술 전시회장에 왔어요. 자세히 보니 이상한 부분이 있네요! **이상한 부분 5군데를 찾아** ○표 하고, 왜 이상한지 이야기해 보세요.

13

들꽃

흐름

내

Black 1

Black 2

Black 3

마음의
안식처

하트나라

해바라기

신비한
달걀

주어진 상황을 이해하고 그 안에서 일어날 수 있는 일과 일어날 수 없는 일을 구분하는 활동을 통해 논리력과 집중력을 기를 수 있습니다.

14 친구들이 가지고 노는 장난감에는 **공통점**이 있어요. 어떤 공통점이 있는지 이야기해 보고, 보기 에서 알맞은 장난감 1개를 찾아 붙여 보세요. 붙임딱지 ①

붙임딱지
붙이는 곳

붙임딱지
붙이는 곳

붙임딱지
붙이는 곳

두더지가 잠을 자러 집으로 가려고 해요. 길을 따라 **집까지 가는 길**을 찾아보세요.

도착

친구들이 **가위바위보 놀이**를 하고 있네요. 누가 이겼는지 이야기해 보고, 가위바위보를 이용한 재미있는 놀이를 해 보세요.

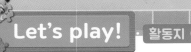

❶ 양손으로 가위바위보를 합니다.

가위바위보~

❷ '하나 빼기'를 외치며 양손 중에서 한 손을 뺍니다.

하나 빼기~

이겼다!

❸ 이긴 사람은 사탕 활동지 1개를 자신의 바구니에 붙입니다.

❹ 번갈아가며 놀이를 합니다.

활동지 붙이는 곳

엄마는 선생님! 가위바위보 놀이를 하며 상황에 따라 유리한 전략을 생각하며 논리적 사고력을 키울 수 있습니다.

17 밤중에 몰래 생선을 훔쳐먹은 고양이를 찾고 있어요. 특징을 잘 보고 **어떤 고양이인지** ○표 해 보세요.

특징

특징

사물의 특징을 주의 깊게 관찰하여 여러 가지 특징을 동시에 지닌 것을 찾는 활동을 통해 집중력과 정보 처리 능력을 기를 수 있습니다.

내 고양이는
울타리 **밖**에 있네!

붙임딱지
붙이는 곳

내 고양이는
털실 **사이**에 있어~

붙임딱지
붙이는 곳

내 고양이는
털실 **왼쪽**에 있네~

붙임딱지
붙이는 곳

내 고양이는
털실 **오른쪽**에 있지~

붙임딱지
붙이는 곳

마트에서 장을 보고 있어요. 자세히 보니 이상한 부분이 있네요! **이상한 부분 5군데**를 찾아 ○표 하고, 왜 이상한지 이야기해 보세요.

20 우리 동네 사진 전시회가 열렸어요. 활동지를 이용하여 친구들이 보고 있는 사진과 똑같이 만들어 보세요. 활동지 ⑤ ⑥

그림들의 관계를 살펴보고 **빈 곳에 들어갈 그림**이 무엇인지 고르고 있어요.
어떤 그림이 빈 곳에 들어가야 할까요?　활동지 ④

활동지
붙이는 곳

활동지
붙이는 곳

활동지
붙이는 곳

엄마는
선생님!

친구가 간식이 가득한 방을 지나가려고 해요. 그런데 가는 길 곳곳이 막혀 있네요.
계단을 따라 **문까지 가는 길**을 연결해 보세요.

출발

도착

23 여러 가지 그림이 있어요. 상대방이 고른 그림 2개에는 어떤 **공통점**이 있는지 이야기해 보세요.

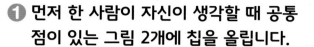 Let's play! 활동지 ④

❶ 먼저 한 사람이 자신이 생각할 때 공통점이 있는 그림 2개에 칩을 올립니다.

새와 나비

나비

새

나무

❷ 상대방은 두 그림의 공통점을 이야기합니다.

날아다니는 동물이에요.

새

나비

❸ 이야기한 공통점이 맞을 경우 사탕 활동지 1개를 자신의 바구니에 붙입니다.

❹ 번갈아 가며 놀이를 합니다.

강아지	사과	버스	바나나
병아리	꽃	거북이	비행기
북	자동차	축구공	개구리
고양이	나비	색연필	오리
새	나무	기타	크레파스

엄마는 선생님! 두 사물의 공통된 속성을 찾아 말하는 활동을 통해 추론 능력과 의사소통 능력을 기를 수 있습니다.

놀이공원에 친구들이 많이 놀러 왔어요. 미경이와 찬우를 찾아 ○표 하세요.

미경이는……
- 머리띠를 하고 있어요.
- 분홍색 옷을 입고 있어요.
- 놀이기구를 타고 있어요.

찬우는......

- 아이스크림을 먹고 있어요.
- 모자를 쓰고 있어요.
- 파란색 티셔츠를 입고 있어요.

친구들이 채소밭에서 열심히 일을 돕고 있어요. 그런데 자세히 보니 이상한 부분이 있네요!
이상한 부분 5군데를 찾아 ○표 하고, 왜 이상한지 이야기해 보세요.

주어진 상황을 이해하고 그 안에서 일어날 수 있는 일과 일어날 수 없는 일을 구분하는 활동을 통해 논리력과 집중력을 기를 수 있습니다.

26 친구들이 인형 가게에 왔어요. 4개씩 놓인 인형들 중 1개는 나머지 3개와 다른 점이 있어요.
다른 인형 1개를 찾아 ✕표 하고, 다른 점을 이야기해 보세요.

모양	색깔	눈
▲ ■ ●		

사물들의 공통점과 차이점을 찾아 이야기하는 활동을 통해 추론 능력과 정보 처리 능력을 기를 수 있습니다.

사진 속 친구들이 **왼손**과 **오른손**으로 무엇을 하고 있는지 알아보고, '왼손 오른손 올려 내려' 게임을 해 보세요. 활동지 ⑥

왼손과 오른손을 사용해요.

왼손으로 피아노를 연주하고 있어요.

오른손으로 젓가락질을 하고 있어요.

왼손으로 가위질을 하고 있어요.

오른손을 들고 횡단보도를 건너고 있어요.

왼손에 바람개비를 들고 있어요.

오른손으로 양치질을 하고 있어요.

친구가 여러 개의 방을 지나 왕관 쓴 곰 인형이 있는 방에 가려고 해요. 벽으로 막힌 곳은 지나갈 수 없어요. 길을 따라 **곰 인형까지 가는 길**을 연결해 보세요.

출발

도착

29 외출을 하려고 해요. 옷장에 걸려 있는 옷 중에서 어떤 옷을 입을지 고민하고 있네요.
여러 가지 방법으로 옷을 입혀 보세요. 붙임딱지 ①

꿈속에서 외계인 친구를 만나러 우주에 갔어요. **외계인 친구를 찾아 ○표 하세요.**

내가 찾는 외계인은......

- 빨간색이에요.
- 네모 모양이에요.
- 눈이 1개예요.

내가 찾는 쌍둥이 외계인은……
• 동그라미 모양이에요.
• 눈이 2개예요.

MEMO

문제해결력
팩토슐레 Math Lv.3

이름:

1 도넛을 모양에 따라, 색깔에 따라 접시에 나누어 담으려고 해요. 접시에 담아야 할 도넛을 알맞게 선을 그어 보세요.

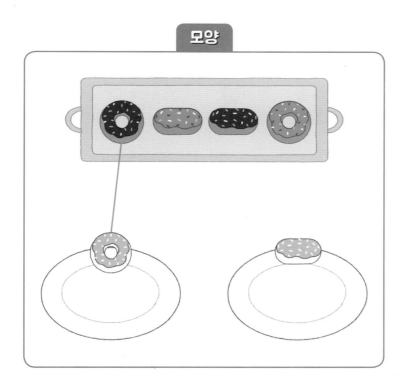

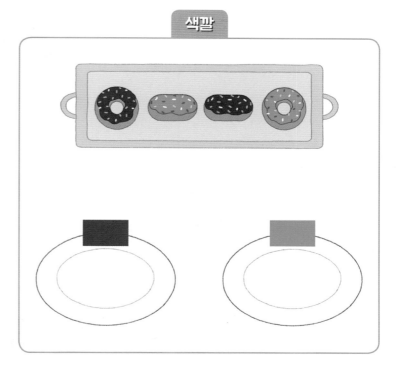

2 토끼가 세수를 하려고 옹달샘을 찾아가요. 길을 따라 옹달샘까지 가는 길을 연결해 보세요.

3 친구의 동생을 찾고 있어요. 특징을 잘 보고, 누가 친구의 동생인지 ○표 해 보세요.

4 그림들의 관계를 살펴보고 빈 곳에 알맞은 그림을 찾아 ○표 해 보세요.

(,)

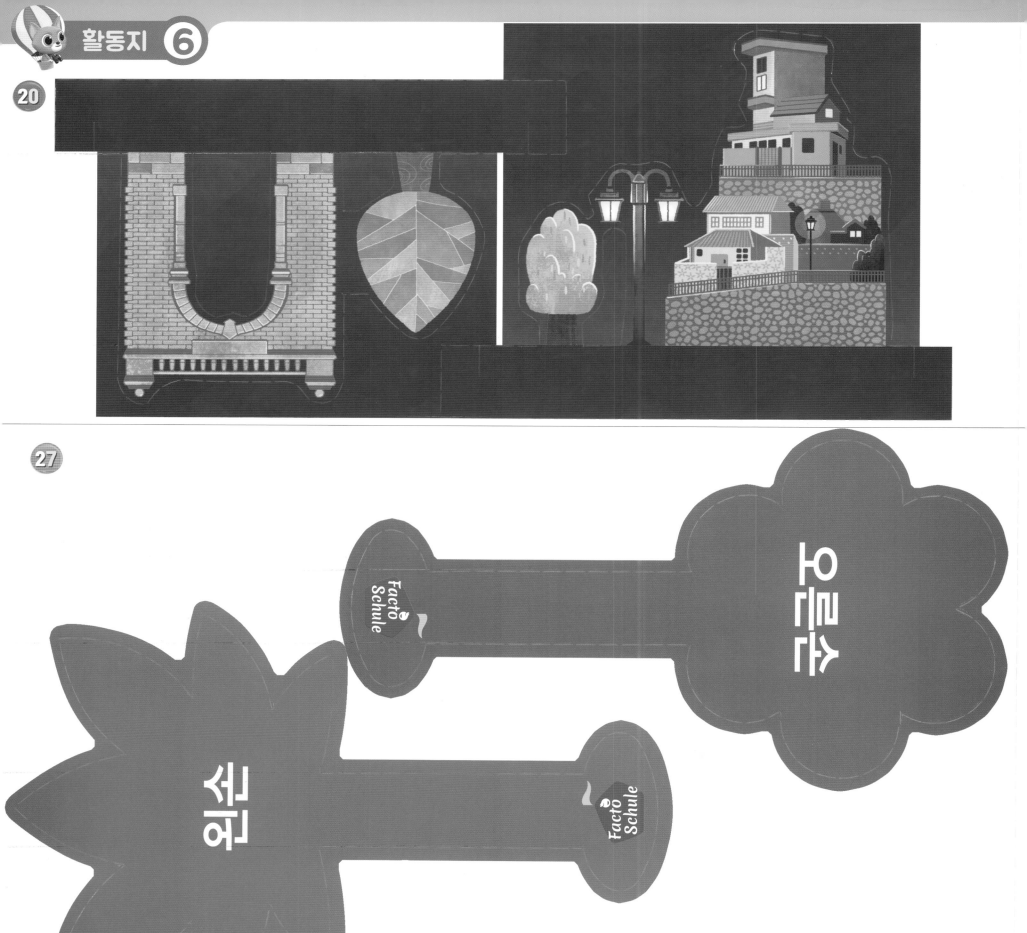

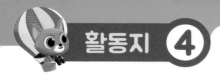
16 23

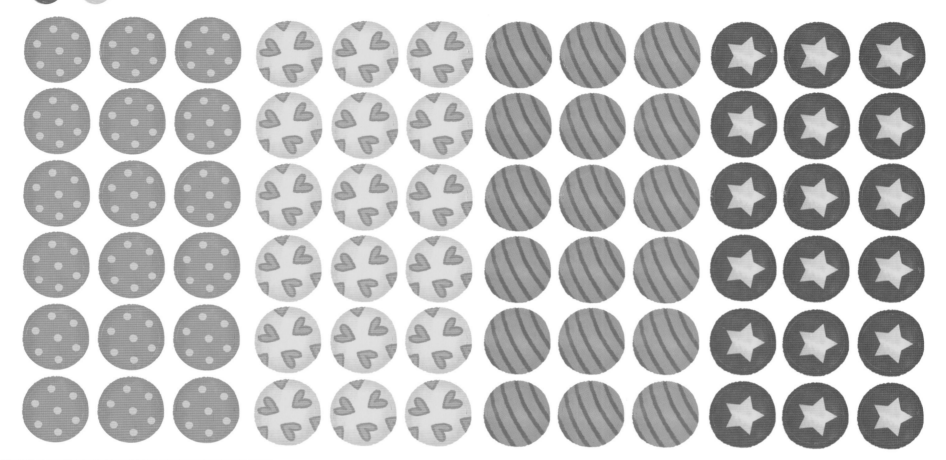

21

23

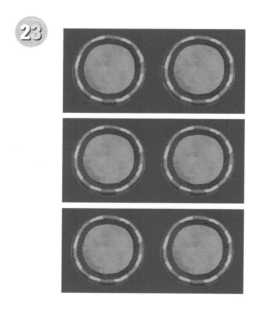

08

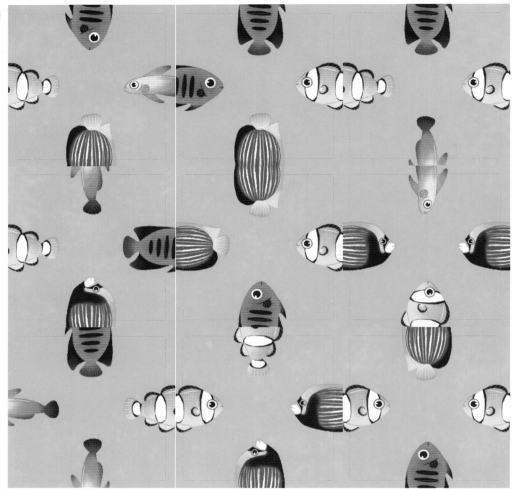

09

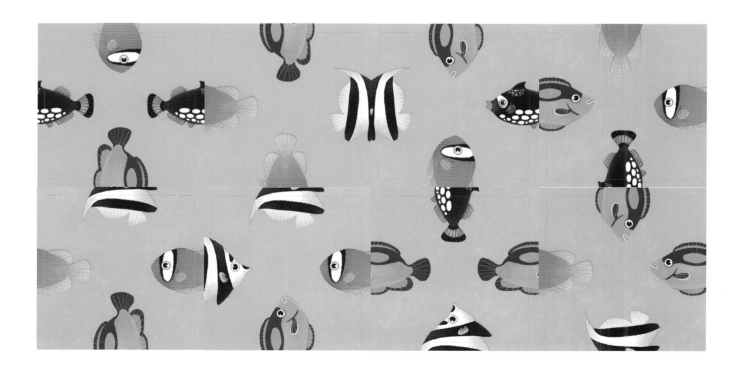

06

12

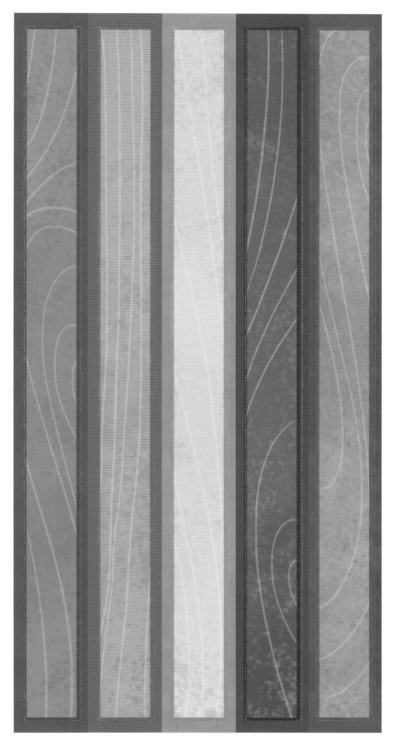

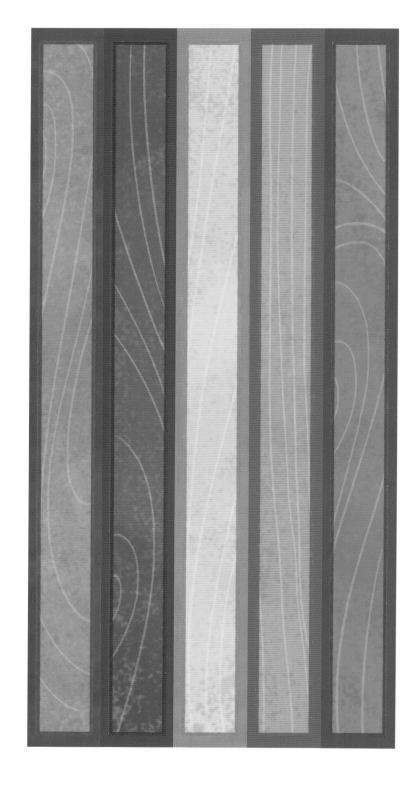

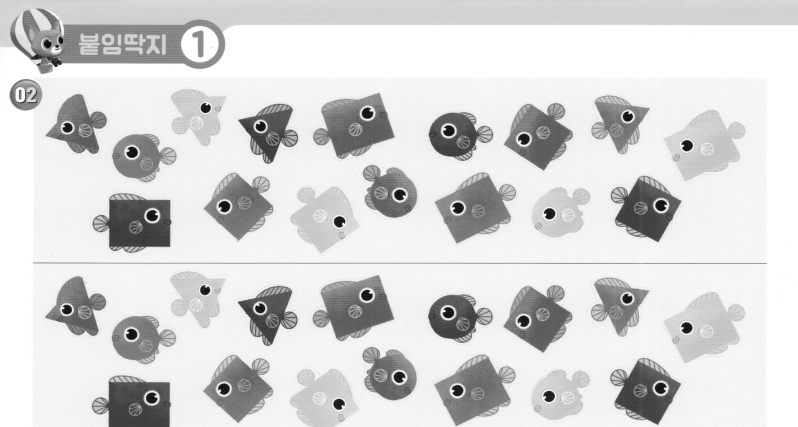

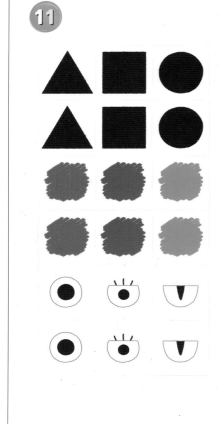